Axel Hacke & Michael Sowa

DER WEISSE NEGER WUMBABA

Kleines Handbuch des Verhörens

Verlag Antje Kunstmann

Malcolm, You Sexy Thing:
Wie dieses Buch entstand

Jedes Buch braucht Leser, wenn es fertig ist. Aber dieses kleine Buch hier benötigte Leser schon, bevor es entstanden war, ja: Es hätte ohne die Leser gar nicht entstehen können.

Und das kam so: In meiner Kolumne *Das Beste aus meinem Leben* veröffentlichte ich im Magazin der *Süddeutschen Zeitung* eines Tages etwas über das Falschhören von Liedtexten, nichts Besonderes, nur ein paar gesammelte Erlebnisse darüber, wie es ist, wenn man Liedtexte eigentlich nie so versteht, wie sie vom Dichter oder vom Sänger oder von beiden gemeint waren. Sondern eben ganz anders …

Auf diesen Text hin bekam ich viele Briefe, alle von Leuten, die schrieben, ihnen gehe es ganz genauso, immer verstünden sie Liedtexte falsch, jahrelang seien sie mit der ganz und gar falschen Version eines Liedes im Kopf durchs Leben gegangen, seit ihrer Kindheit hätten sie ein bestimmtes Lied nicht kapiert, nur durch einen Zufall habe sich das Missverständnis aufgeklärt. Dann schrieben sie mir, was sie gehört hatten, dazu den richtigen Text.

Aus diesen Beispielen machte ich eine weitere Kolumne. Zu dieser Kolumne kamen aber nun noch viel mehr Briefe mit noch viel mehr Verhörbeispielen, aus denen ich dann zwei weitere Kolumnentexte machte, auf die hin ich so viele Zuschriften bekam, dass es für vier weitere Kolumnentexte reichte, woraufhin mich eine solche Menge von Briefen erreichte, dass ich daraus locker acht Kolumnen hätte machen können und …

Das habe ich dann doch nicht getan, nicht ganz jedenfalls. Stattdessen haben wir hier nun dieses Büchlein, in dem sehr viele der Zuschriften von Lesern aus ganz Deutschland und anderswoher verarbeitet sind, und in dem wir diesem Phänomen ein wenig auf den Grund gehen wollen: dass so viele Menschen unsere Sänger, Dichter, auch die Kirchenmänner, überhaupt Vortragende aller Art nicht richtig verstehen. Dass man nach alledem durchaus für möglich halten kann: Überhaupt niemand versteht diese Texte je richtig. Dass wir es hier möglicherweise mit einem bisher unerkannten Massenphänomen zu tun haben.

Dies vorweg.

Nein, noch eines: Wenn einem so viele ganz fremde Menschen geholfen haben, ein Buch zu schreiben, dann möchte man ihnen herzlich danken.

Also: Herzlichen Dank, meine Damen und Herren!

Nun kommt aber die Geschichte, mit der vor Jahren alles begann. Die geht so:

»Kürzlich las ich ein sehr witziges Buch von Rainer Moritz über den deutschen Schlager. Der Autor erzählte von einem Lied, das Freddy Quinn sang: *Abschied vom Meer*. Er hörte als Kind oft die dunklen Verse:

›Abschied vom Meer,
von Wolken, von Winden, von Sternen …
von Häfen, von Flaggenhof im Wind,
von Kameraden, die unvergessen sind.‹

Lange sann der Knabe Moritz über das zauberhafte Substantiv ›Flaggenhof‹ und die Frage nach, was ein ›Flaggenhof‹ sei, bis er, Jahre später, beim Wiederhören erkannte, dass Freddy gar nicht

6

von einem ›Flaggenhof im Wind‹ gesungen hatte. Sondern von ›Flaggen hoch im Wind‹.

Als ich zur Grundschule ging, mussten wir ein Lied lernen, das uns die Lehrerin zu diesem Zweck mehrmals vorsang. Darin war von einem Boot die Rede, das im Wind trieb, steuerlos. Im Refrain die Zeile:

›… hat ein Ruder nicht dran.‹

Wir sangen das Lied, ich sang besonders laut, ohne mir Gedanken über den Text gemacht zu haben. Als wieder mal der Refrain dran war, machte die Lehrerin ein Zeichen, alle hörten auf zu singen, bloß ich, der ich das Zeichen im Eifer übersehen hatte, sang allein, nein, ich schmetterte das Liedlein, und zwar schmetterte ich, das im Sturm treibende Schifflein betreffend, die Worte:

›… hat ein Bruder nicht dran.‹

›Was singst du da?‹, fragte die Lehrerin.

›… hat ein Bruder nicht dran‹, wiederholte ich. Erst in diesem Moment verstand ich, was für ein Nonsens das war. Aber da lachten alle schon. Auch die Lehrerin.

Bloß ich nicht.

Ich habe seitdem nie mehr ohne eingehende Textprüfung gesungen. Aber neulich sang Paola, meine Frau. Sie tanzte im Flur und sang einen alten Hit von *Hot Chocolate*, der geht so (besser: sie sang ihn so):

›I believe in nuckles,
since you came along,
you sexy thing.‹

Paola singt sehr schön, ich liebe es, wenn sie singt. Ihre gute Laune steckte mich an. Ich stimmte ein und sang:

›I believe in Malcolm…‹

›Was singst du da?‹, fragte Paola.

›I believe in Malcolm‹, sagte ich.

›So heißt es nicht‹, sagte sie.

›Was singst *du* denn?‹, fragte ich.

›I believe in nuckles. So heißt es aber auch nicht. Ich weiß bloß nicht, wie es richtig heißt‹, sagte sie.

›Was heißt *nuckles*?‹, fragte ich.

›Knöchel‹, sagte sie.

›Ach so, *knuckles*‹, sagte ich. ›Ich glaube an Knöchel, soso, aha. Ich hatte *nuckles* verstanden. Was heißt das?‹

›Das gibt es nicht, glaube ich‹, sagte sie.

Ich gab in meinen Computer das Suchwort *nuckles* ein und lernte, dass Frankie Nuckles ein DJ in Chicago war und dort 1977/78 in einer Discothek namens *The Warehouse* den *House* erfand. Nuckles war der Gründervater des Techno. Dann gab ich die Suchwörter *I believe in Malcolm* ein. Da kamen mehrere Seiten, auf denen es ausschließlich um falsch verstandene Songs ging, nämlich *www.kissthisguy.com* und *www.amiright.com*. Ich lernte, dass die Zeile in unserem Song in Wahrheit lautete:

›I believe in miracles,

since you came along,

you sexy thing.‹

Es waren aber zahlreiche Beispiele aufgeführt, wie das Lied schon missverstanden worden war: I believe in milkbones, in milk-rolls, in milkos, in milkballs, in Melcho, in mecos, in Myrtle. Am besten gefiel mir:

›I believe in miracles,

since you came along,

you saxophone.‹

Ach, Malcolm. *You sexy thing.*

Den Rest des Abends verbrachten Paola und ich vor dem Bildschirm, tausende von falsch verstandenen Liedtexten lesend. Hier zwei Beispiele: In Tina Turners Song *What's Love Got To Do With It* findet sich die Zeile: ›What's love, but a second hand emotion?‹ Das haben Leute so gehört: What's love, but a second handy motion?; What's love, but a second hand in motion?; What's love, but just swimmin' in the ocean?

Das Beatles-Lied *Paperback writer* betreffend, gibt es folgende Irrtümer: Paperbag rider; Pay for that Chrysler; Face the bad rider; He's the Budweiser; Hy, barebacked rider!; Isn't that right, sir?; Take the back right turn!

Vor dem Schlafengehen gab ich das Suchwort ›Flaggenhof‹ ein.

Tja, Herr Moritz! Auf der Plassenburg bei Kulmbach gibt es einen Flaggenhof, den man auch ›Südstreichwehr‹ nennt. Das um 1550 errichtete Ensemble, las ich, zähle zu den ältesten in italienischer Manier errichteten Bastionsanlagen in Deutschland.

Was soll man sagen? Singen bildet.«

Mutter Weinezehr und Fräulein Leichnam:
Schönheit und Schrecken des Verhörens

In einem der ersten Briefe, die mich zu diesem Thema erreichten, schrieb Leser B., er habe als Kind oft das Lied vom *Hänschen klein* gehört, darin die Zeilen:
»Da besinnt
sich das Kind,
eilet heim geschwind.«
B. aber verstand den Text immer anders, er hörte:
»Dabesin
sieht das Kind,
eilet heim geschwind.«
B. hatte dafür nur eine Erklärung: Es müsse einen Herrn Dabesin (wohl ein Bekannter der Eltern) geben, der das entlaufene Kind sehe und zu den Eltern eile, die es dann holten. Oder der mit dem Kind rede und es dazu bringe, reumütig heim zu eilen.
Kaum hatte ich das veröffentlicht, meldete sich bei mir Herr W., der mir den kompletten Text der zweiten Hänschen-Strophe zur Verfügung stellte, jedenfalls wie er sie verstand:
»Aber Mutter Weinezehr
hat ja nun kein Hänschen mehr!
Dabesin sieht das Kind,
eilet heim geschwind.«
Damit wurde die Sache plötzlich viel klarer: Dabesin ist der Geliebte von Frau Weinezehr, Hänschens Mutter, der zu ihr eilt,

nachdem er Hänschen hat gehen sehen. Nun aber werden neue Fragen aufgeworfen: Ist Dabesin Hänschens Vater? Warum nimmt er Hänschen nicht mit zur weinenden Mutter? Hat er ihn gehasst? Hat Hänschen ihn gestört, wenn er mit Mutter Weinezehr allein sein wollte? Ist Hänschen am Ende seinetwegen gegangen, weil er den Stiefvater nicht mehr ertrug? Das muss offen bleiben.

Fest steht aber: Wir, die wir immer alle Texte falsch verstehen, sobald wir sie nicht lesen, sondern hören, sobald sie gesungen, gebetet oder sonstwie vorgetragen werden, wir leben in einer rätselhaften, doch auch reichen, poetischen Welt, bevölkert von Wesen, die niemand außer uns auch nur zu kennen imstande ist.

Nehmen wir jenen Herrn, der mich nach einer Lesung ansprach, um mir seine Version von Matthias Claudius' *Der Mond ist aufgegangen* mitzuteilen. Da heißt es:

»Der Wald steht schwarz und schweiget,
und aus den Wiesen steiget
der weiße Nebel wunderbar.«

Dieser Mann erzählte mir, was in seinen Ohren klang:

»Der Wald steht schwarz und schweiget,
und aus den Wiesen steiget
der weiße Neger Wumbaba.«

Das hat nun etwas, das weit über Claudius hinausweist: Von weißen Nebeln singen kann, mit Verlaub, jeder. Aber einen weißen Neger namens Wumbaba zu ersinnen – das ist sehr groß.

Sehr viel später meldete sich bei mir noch Leser L. aus München, der eine münchnerisch-bayerische Version vortrug, die auf seine Enkel zurückgeht, und in der es heißt:

»Und aus der Isar steiget
der weiße Neger Wumbaba.«

Das ist natürlich auch nicht zu verachten, wenngleich ich es doch schöner finde, diese sagenhaft fremd-schöne Wumbaba-Gestalt aus nebelüberhangenen Wiesen aufsteigen zu sehen, die sich vor einem schwarzen Walde erstrecken. Da kann die Isar nicht leicht mithalten.

Herr Dabesin, Mutter Weinezehr, Wumbaba…

Der Verhörende schafft sich gewissermaßen aus der Unverständlichkeit der Welt heraus seinen eigenen Figurenkosmos, ein Beweis für die kindlich-dichterische Kraft, die vielen von uns innewohnt, ohne dass wir eigentlich etwas von ihr ahnen, und die uns ganz nebenbei Figuren beschert wie den unermesslich reichen niederländischen Kaufmann Ohrjens, von dem Leser J. aus Berlin berichtete.

J. sang als Kind:

»Schwer mit den Schätzen des Ohrjens beladen,
Ziehet ein Schifflein am Horizont dahin.«

Und er will bis heute nicht verstehen, dass die Schätze »des Orients« gemeint waren. Recht hat er!

Aber wie tief stürzen wir, wenn wir uns von hier aus noch einmal dem Kinderlied zuwenden, jenem zum Beispiel, mit dem einst Frau L. als Kind Abend für Abend in den Schlaf gesungen wurde:

»Guten Abend, gute Nacht,
mit Rosen bedacht,
mit Näglein besteckt,
lieg' unter der Deck'.«

Vielleicht wäre es nett gewesen, hätte damals jemand der kleinen L. erklärt, mit »Näglein« sei Flieder gemeint, »Braunnägelein«, wie man zu Brahms' Zeiten sagte. Sie wäre friedlicher eingeschlafen.

Kaum hatte ich aber die Geschichte der L. veröffentlicht, meldete sich bei mir Frau E., deren Tochter sogar immer zu weinen begann, wenn man ihr dieses *Guten Abend, gute Nacht* vorsang. Es war aber eine andere Zeile als bei der kleinen L., welche die Tochter der Frau E. so ängstigte, dass sie immer wieder rief: »Du sollst aufhören, aufhören!«

Die Zeile hieß:

»Morgen früh, wenn Gott will
wirst du wieder geweckt.«

Als die Mutter fragte, warum denn – um Gottes willen! – sie aufhören solle zu singen, da stellte sich heraus, dass ihr Kind diese Passage des berühmten Lieds so verstanden hatte:

»Morgen früh, wenn Gott will,
wirst du wieder gewürgt.«

Dies vor dem Hintergrund, dass die Tochter einen rabiaten Sandkastenkameraden hatte, der allen anderen Kindern mit Vorliebe an den Hals ging und von den Erwachsenen ständig gemahnt werden musste: »Hör mit dem Würgen auf!« Und sie hasste diesen Sandkastenknaben und hasste und hasste ihn. Und doch hieß es Abend für Abend, morgen früh, »wenn Gott will«, werde sie wieder gewürgt.

Daran schließt sich nahtlos der Bericht von Frau F. an, die von einem Kind berichtet, das sich einmal bei ihr nach dem »Lied vom toten Hannes« erkundigte. Es stellte sich dann heraus: Gemeint war *Der Hahn ist tot*, was im Elternhaus des Kindes gern und oft und immer mit viel Schwung gesungen wurde. Die Eltern sollen nicht wenig erschrocken über die Nachricht gewesen sein, dass ihr eigenes Kind ihnen zutraute, mit so viel Elan vom toten Hannes zu singen.

Hannes hieß nämlich der Bruder des Kleinen.

Noch nicht schrecklich genug? Für die Freunde des Horror-Genres hätten wir noch das geradezu einem Splatter-Movie entsprungene »Fräulein Leichnam« zu bieten, das lange durch die Phantasie von Frau P. geisterte: Sie schrieb, wenn sie sich als Kind habe besonders gewählt ausdrücken wollen, habe sie vom Feiertag »Fronleichnam« immer als »Fräulein Leichnam« gesprochen, weil sie dachte »Fron« sei nur die Verkürzung von »Froin« oder »Froll'n«, also eben »Fräulein« gewesen. Über die Bedeutung des einen wie des anderen sei sie sich nie im Klaren gewesen. Was den Feiertag »Fronleichnam« angeht, geht es ja bis heute vielen Erwachsenen ähnlich.

Aber »Fräulein Leichnam«? Huuuuuh!

Die junge Frau könnte sich den schaurigen »Mutaten« zum Mitternachts-Tanze zugesellen, von deren Existenz mich Herr P. aus Frankfurt unterrichtete, der als Kind oft *Kein schöner Land in dieser Zeit* sang. Darin heißt es:

»Da haben wir so manche Stund',
gesessen da in froher Rund',
und taten singen,
die Lieder klingen
im Eichengrund!«

P. aber verstand eine ganze Kindheit lang immer nur:

»Mutaten singen
die Lieder klingen
im Eichengrund.«

Noch horribler ist eigentlich nur jene Figur, die in den Phantasien von Phil Thomas erstand, der auf der Internet-Seite *www.kissthisguy.com* berichtet, wie er zum ersten Mal Madonnas *La Isla Bonita* hörte. Das Lied geht so:

»Tropical the island breeze
All of nature wild and free
This is where I long to be
La Isla Bonita.«
Phil Thomas hörte:
»Just call me an island sleaze
All my body yours for free
This is who I long to be
Louise the Bone Eater.«

»Island sleaze« sollte man vielleicht mit »Inselschlampe« übersetzen. Dass jemand sich eine »Inselschlampe« nennt und erklärt, sein Körper gehöre – wie ich das jetzt mal vorsichtshalber übersetze, es sind ja vielleicht noch Kinder im Raum – »Louise, der Knochenfresserin«, das scheint einem Horrortraum zu entstammen. Ich beneide Phil Thomas nicht um seine Phantasie.

Es ist eine Welt von Gut und Böse, von der uns da gesungen wird, wie in Grimms Märchen: die Welt von Herrn Dabesin und Mutter Weinezehr, vom weißen Neger Wumbaba und dem unermesslich reichen Mijnher Ohrjens und von Louise, der Knochenfresserin, einer Vorläuferin Hannibal Lecters, die ihre Opfer vor Verzehr mit Näglein besteckt…

»Kinder brauchen Märchen«, schrieb Bruno Bettelheim. Und Erwachsene brauchen sie anscheinend auch. Und wenn sie die nicht bekommen, dann schaffen sie sich die Märchen selbst.

Sehen wir das nicht vor uns, im Eichengrund: Wie sie da tanzen, auch der tote Hannes und das Fräulein Leichnam sind dabei, umringt von Mutaten – vereint in froher Rund'?!

Und die Lieder klingen!

Ein Rentier namens Schulze:
Wenn Kinder sich verhören

Die Welt des Kindes ist voller Rätsel, nehmen wir nur meinen eigenen Sohn, der von »Blatthosen« sprach, die manche Menschen trügen, »so hohe Blatthosen« – nach längerem Befragen stellte sich heraus, dass er »Plateausohlen« meinte.

Oder zitieren wir Herrn B., der seine Jugend in Berlin-Neukölln verbrachte und mir nun aus Mourèze in Frankreich schrieb, er sei als Kind oft zur Wäschemangel geschickt worden, die sich in den hinteren Räumen einer Drogerie befand. Der Drogist, ein kleiner Mann im braunen Kittel, verkaufte auch Waschpulver und Seife, weshalb es B. nicht verwunderte, dass er sich von seinen Kunden stets mit freundlichem »Auf Wiederschaum« verabschiedete, nicht mit »Auf Wiedersehen«, wie andere Berliner Ladenbesitzer.

Und hier, die Geschichte von Frau B. aus Brüssel: »Ich war ein sehr kleines Kind – vielleicht drei bis vier Jahre – und war in meinem Zimmer; die Tür zum Flur stand offen. Mein Vater kam nach Hause und berichtete meiner Mutter leise, sehr aufgeregt: ›Fritz (der beste Freund der Familie) bekommt ein *unehrliches* Kind!‹ Ich war tief erschüttert, traute mich nicht zu fragen und war fortan jahrelang verunsichert, wie ein Kind schon ›unehrlich‹ auf die Welt kommen könnte. Welche Tragik!«

Jahrelang sei sie dem Kind mit Scheu und Angst begegnet, bis ihr irgendwann klar geworden sei, dass es *unehelich* war.

Das ist wohl lange her. Heute ist Unehelichkeit eher die Regel als

Ehelichkeit. Und jeder, der Kinder hat, weiß mit welch' schamlosen Flüchen sie eines Tages plötzlich aus dem Kindergarten heimkehren. Aber es gibt doch Kinder, die – was Flüche und Beschimpfungen angeht – auch jetzt noch in der holden Welt des Missverstehens leben. Die Tochter von Frau L. in Tübingen beispielsweise, die sich bei der Mutter beschwerte, einer habe den anderen im Hort einen »Uhrensohn« genannnt, »so ein Quatsch, eine Uhr kann doch keinen Sohn haben«.

Frau L. aus Köln berichtet zu diesem Thema, ihr Mann sei eines Tages vom Sohn Fabian als »Hosensohl« bezeichnet worden, und erst die sechsjährige Tochter habe, leicht gelangweilt, für Aufklärung sorgen können: Der Bruder meine natürlich, er sei ein »Hurensohn«.

Kinder sind nun mal die größten Missversteher von Texten aller Art – und warum? Weil sie erstens die Welt nicht so verstehen können, wie die Welt verstanden werden will, es fehlen ihnen einfach die Kenntnisse dazu. Und weil sie aber zweitens das Missverstandene trotz seiner kompletten Sinnlosigkeit hinnehmen, interpretieren, ihm einen Sinn zu geben suchen – was manchmal gelingt, manchmal nicht.

Das ist oft wahrhaft schön, wie der Brief von Frau W. aus Taufkirchen zeigt, die vor langer Zeit als Kind über den Dorffriedhof spazierte und auf einem Grabstein las, dort liege »Rentier Schulze« begraben. Die kleine W. konnte nicht ahnen, was wir Erwachsenen wissen, dass nämlich »Rentier« ein dem Französischen entlehntes Wort ist und (jedenfalls früher, der Begriff ist ja nicht mehr *en vogue*) einen Mann bezeichnet, der nicht von seiner Arbeit, sondern von Kapital- oder Pachtzinsen lebt.

Sie dachte, dort liege wirklich und wahrhaftig ein Rentier begraben, wie es der Nikolaus vor den Schlitten spanne. Und dann hieß es auch noch Schulze!

Übrigens ist ja nicht nur der Rentier als Begriff kaum noch gebräuchlich, sondern auch das »Fräulein«. In jenen Zeiten aber, als man Verkäuferinnen noch mit »Fräulein« ansprach, verlebte Herr F. aus Eichstetten seine Kindheit und fragte sich, warum die Mutter die beiden Bedienungen im Schreibwarenladen immer mit »Freun« anredete. »Schließlich blitzte eines Tages in mir die Erkenntnis auf, dass es sich um eine gebräuchliche Abkürzung für ›Freundin‹ handeln müsse, da die beiden Verkäuferinnen in dem Laden offensichtlich gut miteinander befreundet waren und also jede mit Fug und Recht als die Freundin der anderen angesprochen werden konnte.«

Nun haben wir es bei all diesen Beispielen mit Texten aus der Welt der Erwachsenen zu tun, die Kindern eben mit Fug und Recht rätselhaft sein können. Der Zuschrift von Frau H. aus München aber entnehme ich, dass auch Texte, die explizit für Kinder bestimmt sind, ihnen manchmal vollkommen unverständlich bleiben. Frau H. teilte mit, eine Freundin habe jahrelang beim Titellied der *Sesamstraße* verstanden:

»Wer, wie, was?

Wieso, weshalb, warum?

Verdis Pappkarton.«

Richtig heißt es bekanntlich:

»Wer nicht fragt, bleibt dumm.«

Die Freundin hat tatsächlich doch irgendwann gefragt. Und hat die Wahrheit erfahren. Da war sie aber schon erwachsen.

Gerade hatte ich dieses Missverständnis veröffentlicht, da erreichte mich auch schon die Post von Herrn D. aus Hamburg, der

Rentier
Schulze
1841 1902

schrieb, für ihn habe als Kind die zweite Zeile nicht »Wieso, weshalb, warum?« gelautet, sondern:

»Die Sowes hallt herum!«

Weiter schrieb D.: »Nie verständlich wurde mir allerdings, um wen es sich bei dieser ominösen Person namens Sowes handeln könnte, und erst recht nicht, warum sie denn offenbar so gern herumhallt… Tragischerweise bin ich dann aber auch nie der direkt anschließenden Aufforderung ›Wer nicht fragt, bleibt dumm‹ nachgegangen (die ich ja, im Gegensatz zur Freundin von Frau H., immer korrekt verstanden hatte). So kam es, dass ich meine gesamte Kindheit über zwar nie an den Weihnachtsmann oder den Klapperstorch, sehr wohl aber an eine herumhallende Frau Sowes geglaubt habe.«

Der krasseste Fall von Missverständnis des Sesamstraßen-Liedes (das offensichtlich von überhaupt niemandem wirklich richtig verstanden wurde) ereignete sich aber im Leben von Frau E. aus Wuppertal, die immer hörte:

»Bär, bie, bass?

wie suweseit, warum?«

Frau E. schrieb, sie habe natürlich trotzdem mitgesungen, »im Alter von sechs bis acht scheint die Welt für ein Kind ohnehin so dermaßen rätselhaft zu sein, dass man sich einfach damit zufrieden gibt, es werde wohl Englisch sein.«

Ungleich dämlicher als die Sesamstraße, doch bei Kindern nicht unbeliebt ist *Benjamin Blümchen*, ein kleiner, gutherziger, politisch extrem korrekter Elefant mit Mütze. Im Titellied seiner Sendung heißt es anscheinend so etwa: »…und liegt gerne in der Sonne, um ihn rum, da schwirren Bienchen«, ein Satz, nun ja, der eben so ist wie die ganze Serie, den aber Leserin K. durch

Verhören dahingehend verbesserte, dass er bei ihr hieß: »... und im Brumm der schwirren Bienchen«. Das lässt sich schon eher hören.

K. musste 22 Jahre alt werden, um die Wahrheit zu erfahren. Da saß sie mit Freunden beisammen, und »als wir auf Benjamin Blümchen zu sprechen kamen, habe ich voll Begeisterung vom Titellied mit seinen onomatopoetischen Wortneuschöpfungen ›Brumm‹ und ›schwirren‹ als Adjektiv geschwärmt. Als sich mein Irrtum aufklärte, war das natürlich ein ziemlicher Lacher. Es hat sich herausgestellt, dass einige meiner Freunde die Stelle auch nicht richtig verstanden hatten, sich aber darüber nie Gedanken gemacht haben, einer hat beim Titellied sogar immer vorgespult.« Irgendwie versteht man ihn. Aber er blieb halt sein Leben lang um ein paar schöne Wörter ärmer.

Apropos Wortschöpfungen: Herr B. aus Gröbenzell schrieb mir einmal, er habe das berühmte Lied *Muss i denn, muss i denn...* immer so aufgefasst:

»Musident, Musident,
zum Städtele hinaus,
zum Städtele hinaus!
Aber du, mein Schatz, bleibst hier!«

Ganz offensichtlich verweise da jemand, schrieb mir B., den Herrn Musident der Stadt, er schicke ihn von hinnen – warum? Weil, so B., es sich beim Musidenten um einen Nebenbuhler handele, um jemanden, der es mit der Frau des Sängers gehabt habe, und dafür nun gehen müsse. »Verwundert hat mich schon damals«, schreibt B., »in welch liebliche Melodie diese doch sehr harsche Aufforderung gekleidet war.«

Schon wahr. Aber bekommt nicht gerade durch die Melodie das

»Aber du, mein Schatz, bleibst hier!« etwas geradezu vernichtend Triumphales?

Warum fällt mir jetzt gerade die Zuschrift von Frau J. aus Stephanskirchen ein? Ihre Mutter habe oft von einem Seemannslied erzählt, das sie als Kind hörte:

»Stürmisch die Nacht und die See geht hoch.«

Aber das Mädchen verstand:

»Stürmisch die Nacht und die Säge tobt.«

Klingt schaurig. Und schön.

Musikliebende Eltern gehen mit ihren Kindern ja oft früh schon in die Oper – wer weiß, ob sie immer ahnen, mit welchen Bildern, Wörtern und Gedanken die Kinder dann nach Hause wandern. Frau B. jedenfalls erinnerte mich an den Text der *Zauberflöte*, die sie als Kind oft hörte, speziell an das Duett Papagena/Papageno:

»Wenn die Götter uns bedenken
uns so liebe Kinder schenken
so liebe kleine Kinderlein.«

B. verstand:

»… solide kleine Kinderlein.«

Und fand das »nicht so abwegig für ein kleines hanseatisches Mädchen in weißer Bluse und blauem Faltenrock«.

In der gleichen Oper singt übrigens Papageno an anderer Stelle:

»Dann schmeckten mir Trinken und Essen,
dann könnt ich mit Fürsten mich messen.«

Die Tochter von Frau R. aus Köln hörte:

»… dann könnt ich mit Fürsten mich mästen.«

Und befürchtete, Papageno sei kannibalisch veranlagt und habe den Prinzen Tamino, der ja Sohn eines Fürsten ist, nur begleitet, um ihn in einem günstigen Moment aufzuessen.

Immerhin: Auch hier gab es dann Erwachsene, die alles erklärten. Oder man hatte die Möglichkeit, sich auch als Kind selbst einen Reim auf das Gehörte zu machen. Was aber sollte Frau H. tun, die mit acht Jahren den Text des Schlagers vom *Theodor im Fußballtor* hörte? Der geht im Original so:
»Der Theodor, der Theodor,
Der steht bei uns im Fußballtor.
Wie der Ball auch kommt,
Wie der Schuss auch fällt,
Der Theodor, der hält!«
Was aber vernahm Frau H.? Sie verstand:
»Wie der Wallach kommt,
wie der Schussach fällt...«
Dafür gibt es keine Erklärungsmöglichkeiten mehr. Das kann eine Achtjährige nur so hinnehmen.

P.S.: Dann gibt es noch den raren Fall, dass Erwachsene Kinderlieder falsch verstehen. Dazu schreibt Herr F. aus Aachen: »Gestern unter der Dusche höre ich die *Bärenbude* (Kindersendung des WDR). Das Wasser läuft, und ich höre das Kinderlied ›Nimm mich mit auf die Reise, kleine Fehlgeburt!‹ Ich drehe das Wasser ab, und erst beim nächsten Refrain kann ich mich wieder entspannen, denn in Wirklichkeit war alles ganz anders. Es sollte heißen: ›Nimm mich mit auf die Reise, kleines Segelboot!‹«
P.P.S.: Schließlich gebe es noch Erwachsene, schreibt Herr F. aus Eichstetten, »die sich einen Spaß draus machen, Kinder auf ihren Erkundungszügen ins Verstehen auf eine falsche Fährte zu locken«. F. jedenfalls wuchs im Münchner Glockenbachviertel auf, wo es im Hinterhof einen Buchbindermeister gab, der den

Kindern aus dem Vorderhaus, die gerade erst ein bisschen lesen konnten, weismachte, bei den Stadtplänen der Firma Brunn, die er auf Leinen zog und die man *Brunn's Plan* nannte, handele es ich um einen »Brunzplan« Münchens. (Wozu der außerbayerische Leser wissen sollte, dass »brunzen« ein sehr, sehr volkstümliches Wort für »urinieren« ist.) F. schreibt, sie seien als Münchner Kinder damals »schwer beeindruckt gewesen, dass jemand ›dafür‹ Pläne herstellte«.

Lulle und die Leberwurscht:
Wie lange es dauern kann, bis sich alles aufklärt

Wie hartnäckig kindliche Verhörer den Menschen ein Leben lang begleiten können, illustriert der Fall des Herrn K. aus München, der mich brieflich um Hilfe bat, »um ein Rätsel zu lösen, das mich schon seit meiner Kindheit plagt«.

Herr K. führte aus: »In den dreißiger Jahren (da war ich etwa sechs Jahre alt) grassierte in der Steiermark ein Gassenhauer, dessen Text ich als der ›Der Lulle staviert, der Lulle staviert‹ verstand. Beiliegend eine Tonkassette, auf welcher ich ganz am Anfang eine Probe vorsinge, um Ihnen auch die Melodie zu präsentieren. Wenn Sie in Ihrem Bekanntenkreis den richtigen Text feststellen und ihn mir verraten könnten, wäre ich für den Rest meines Lebens erleichtert.«

Tatsächlich fand ich im Umschlag eine Kassette, auf welcher Herr K. laut und deutlich sang:

»Der Lulle staviert…
daralalalalaaaa…
Der Lulle staviert….
daralalalaaaaa.«

Ich konnte nur die Leserschaft als meinen Bekanntenkreis im weitesten Sinne interpretieren und jeden um sachdienliche Hinweise bitten, dem das Lied irgendwie bekannt vorkam. (Ich selbst bin ja nun mal kein Fachmann für das Verstehen von Liedtexten, sondern ausdrücklich fürs Nichtverstehen.)

Es meldete sich Herr W. aus Oldenburg, der meinte, den zweiten Teil des Satzes »Der Lulle staviert« könne man eventuell als »…löscht der Wirt« verstehen, aber was »Der Lu« oder »Der Lul« bedeuten solle – er wisse es nicht.

Herr S. aus Seehausen regte an, das Ganze als »Der Ludl is a Wirt« zu verstehen, aber »verifizieren könnte das nur ein uralter Steirer, der den weiteren Text noch kennt«.

Herr L. aus München schließlich fühlte sich eher durch das »Daralalalaaaaa« angeregt und legte den Text eines nordböhmischen Hopfenpflückerliedes bei, das mit den Worten begann:

»Der Elefant
tralala, tralala,
ist weltbekannt,
tralala, tralala.«

Und es hörte auf mit diesem Text:

»Stumpfsinn, Stumpfsinn, du mein Vergnügen,
Stumpfsinn, du meine Lust;
denn gäb's kein Stumpfsinn,
gäb's kein Vergnügen,
denn gäb's kein Stumpfsinn,
gäb's keine Lust«.

Was daraus zu schließen wäre, wurde mir nicht klar. Außer, dass man nicht Hopfenpflücker von Beruf sein möchte, schon gar nicht in Nordböhmen.

Das Ergebnis also: nichts. Herr K. meldete sich dann ein Jahr später noch einmal und schrieb: »Es ist mir also nicht gelungen, den richtigen Text zu erfahren. Nun muss ich leider auf des Rätsels Lösung verzichten. Gottlob nicht mehr lange, denn inzwischen bin ich 79 Jahre alt.«

Es kann aber auch anders kommen, viel erfreulicher. Eines Tages schrieb mir Herr H. aus Berlin, er habe als kleiner Junge einige Jahre gegenüber einer russischen Kaserne gelebt. »Immer wenn eine Abteilung russischer Soldaten mit klatschendem Gleichschritt aus dem Tor marschiert kam, rannte ich ans Fenster. Ich musste nicht lange warten, dann fingen sie an zu singen – ein Vorsänger mit unverständlichem Text, aber schönem, hellem Tenor, dann fiel die ganze Kompanie ein in den Refrain ›Leberwurscht, öhöhö, Leberwurscht‹. Den Wunsch nach Leberwurscht teilten wir natürlich alle – der Krieg war noch nicht lange vorbei. Aber warum man diesen Wunsch singend ausdrücken musste und warum Russen ausgerechnet das Wort ›Leberwurscht‹ kannten, wo sie sich doch sonst fremdartig verständigten, das blieb mir etwa 20 Jahre lang ein Rätsel. Seine Lösung fand ich im Zuge meines Studiums der Slawistik. Da las ich einmal eine kurze Geschichte, in der russische Soldaten im Lied ihren Führer (russ.: *voshd*) Lenin rühmten.«

Kaum hatte ich das veröffentlicht: neue Briefe zu diesem Thema! Herr B. aus Leipzig schrieb, diese Geschichte habe ihm ein Rätsel gelöst, »dessen Erklärung mir in diesem Leben nicht mehr vergönnt schien«, seit er seine Kindheit in Leipzig wenige Meter von einer sowjetischen Dienststelle verbracht habe, deren Wachsoldaten mehrmals wöchentlich zum Wurscht-Lied exerzierten.

Herr M. aus Forstinning schrieb, ihn und seine Familie habe es am Kriegsende nach Sachsen verschlagen, wo sie ebenfalls am Leberwurscht-Lied herumgegrübelt hätten – bis heute. M. schrieb: »Sie haben das phonetische Rätsel meiner Kindheit gelöst. Wer hat je geglaubt, daß die Mauer fiel, oder daß sich die Sache mit der Läbberwurscht aufklärt?«

Den Herrn G. aus Walluf, aufgewachsen in Oranienburg bei Berlin, hatte das Lied bis zu einer Israel-Reise 1973 verfolgt, wo er einen frisch emigrierten Russen aus Odessa getroffen habe, der ihm erklärt habe, »das sei ein Lied von/über Moskau gewesen«. Schließlich noch die Zuschrift von Herrn Sch. aus Weilheim, der schrieb: »Ich glaube allerdings, dass Herr H. aus Berlin mit seiner Deutung nicht recht hat. *Soldaty w putj* (›Soldaten, auf den Weg!‹) hieß das Lied laut meiner Mutter, die damals als Russisch-Dolmetscherin arbeitete. *Smeleje w putj!,* das bedeutet etwa: ›(Macht euch) tapferer auf den Weg!‹ Das *Smeleje w putj* war also die ›Leberwurst‹.«

Vielleicht macht Herrn K. (dem mit dem stavierenden Lulle) auch die Post von Frau K. aus Rosenheim Hoffnung, die mir schrieb: »Bei einem Spaziergang vor einigen Wochen sahen mein Mann und ich einige Kaltblüter, sog. ›Brauereipferde‹, auf einer Weide, und mein Mann sagte: ›Schau dir das an! Da kann man sich so richtig vorstellen, wie die Soldaten auf den Rössern in die Schlacht gezogen sind!‹ Daraufhin hatte ich ein Aha-Erlebnis der Superlative: Ich komme aus Hamburg, und dort sagt man zum Metzger ›Schlachter‹. So war ich seit nunmehr 42 Jahren davon ausgegangen (ohne jedoch ernsthaft darüber nachzudenken), dass es sich bei ›Schlachtrössern‹ um Pferde handelt, die wegen ihres Alters oder sonstwie für den Schlachter bestimmt sind!«

42 Jahre – so lange Zeit! Sagen wir es mit einem Satz, der einst über einem Schulaufsatz der heute 92 Jahre alten Tante von Leserin B. stand (auch er natürlich Ergebnis eines Missverständnisses): »Steht der Tropfen, höhlt der Stein.«

Komma Jesus, sei unser Gast:
Der Verhörer in der Literatur

In Walter Benjamins *Berliner Kindheit um Neunzehnhundert* kommt die Muhme Rehlen vor, von der Benjamin als Kind in einem alten Vers hörte: »Ich will dir was erzählen von der Muhme Rehlen.« Aber das Wort »Muhme« sagte dem kleinen Benjamin gar nichts, er verstand »Mummerehlen«, ein Geschöpf, das für ihn zu einer Art Geist wurde, eine Geistin, die er an verschiedensten Stellen aufspürte. »Gelegentlich vermutete ich sie im Affen, welcher auf dem Tellergrunde im Dunst von Graupen und Sago schwamm. Ich aß die Suppe, um ihr Bild zu klären. Im Mummelsee war sie vielleicht zu Haus und seine trägen Wasser lagen ihr wie eine graue Pelerine an. Was man von ihr erzählt hat – oder mir wohl nur erzählen wollte –, weiß ich nicht. Sie war das Stumme, Lockere, Flockige, das gleich dem Schneegestöber in den kleinen Glaskugeln sich im Kern der Dinge wölkt …«

Wie langweilig wäre es gewesen, hätte Benjamin den Text einfach richtig verstanden – seine Kindheit wäre um einige Bilder und Vorstellungen ärmer gewesen, und seinem Buch hätten auch einige schöne Zeilen gefehlt. So ist das, wenn die Welt größer ist als das eigene Wissen – da muss die Phantasie die Lücke füllen.

Auf ganz andere Art und Weise tritt uns dieses Problem in Thomas Manns *Zauberberg* entgegen, in der Person der Frau Stöhr nämlich, die trotz einer geradezu namenlosen Unbildung nie vor dem Gebrauch der allerlateinischsten Fremdwörter zurückschreckt, Wörter, die sie zwar gehört, aber nie verstanden hat und nun durch eigene Wortbildungen ersetzen muss. Der »Turnus« kehrt bei ihr als »Tournee« wieder, und, so Mann, »was Frau Stöhrs große Unbildung aus dem ›dulci jubilo‹ machte, war ganz außerordentlich; das erste Wort entlehnte sie dem italienisch-musikalischen Vokabular ihres Gatten und sprach also von ›dolce‹, das zweite erinnerte an Feuerjo, Jubeljahr oder Gott weiß woran, – die Vettern schnappten gleichzeitig nach den Strohhalmen in ihren Gläsern, doch das focht die Stöhr nicht an.«

Frau W. aus Cuxhaven schickte mir dann noch die Kopie einer Seite aus den *Buddenbrooks*, wo man den Konsul selbst mit den Sätzen vernimmt: »Ach ja, diese Dänen! Ich erinnere mich lebhaft, wie ich mich schon als kleiner Junge beständig über einen Gesangvers ärgerte, der anfing: ›Gib mir, gib allen denen, die sich von Herzen sehnen...‹, wobei ich ›Denen‹ im Geiste immer mit ›ä‹ schrieb und nicht begriff, daß der Herrgott auch den Dänen irgend etwas geben sollte...«

Es ist ja so: Wer diesem Thema verfallen ist, der entdeckt es plötzlich überall, in jedem Buch, das er liest. An jeder Ecke.

Herr B. aus Leipzig las Marion Gräfin Dönhoffs *Kindheit in Ostpreußen* und fand eines der aberwitzigsten Missverständnisse überhaupt: Jahrelang blieb der kleinen Marion der Text des täglichen Tischgebets *Komm, Herr Jesus, sei unser Gast* rätselhaft, weil er als einziger Text, den sie kannte, mit einem Satzzeichen begann: »Komma Jesus, sei unser Gast.«

Leserin B. aus Sulzbach an der Donau las *Generation Z,* ein Buch des *Spiegel*-Redakteurs Reinhard Mohr, und fand darin den Satz: »Da wird die Erinnerung tatsächlich zu einer Art Paradies, aus dem man nicht vertrieben werden kann, und es reicht schon, wenn Patti Smith' Song *Peak of the Night* im Autoradio läuft, um für ein paar Minuten an die geheimnisvollen Orte der Vergangenheit zurückzukehren.«

Das Hübsche daran ist, dass Patti Smith Lied nicht *Peak of the Night* sondern *Because the night* heißt, dass aber gerade dadurch dieser Satz besonders stimmt, denn das Nichtverstehen der Welt und ihrer Lieder macht doch ein gut Teil von deren Geheimnis aus, und wenn es etwas Paradiesisches an diesem Erdendasein gibt, dann ist es eben der Versuch unserer Phantasie, sich auf all dies Magisch-Rätselhafte einen Reim zu machen.

Und Cony Z. schreibt in einer e-mail: »In der *Zeit* habe ich gelesen, dass der Begründer von *Lonely Planet*, immerhin einer der weltbekannten Reiseführerreihen, sich bei einem Joe Cocker-Liedtext verhört hat: Statt *Lovely Planet* hat er *Lonely Planet* gehört. Voilà – eine als rechercheintensive und als recherchierichtig anerkannte Reihe wurde nach einem simplen Verhörer benannt.«
Lovely Planet klänge auch fast ein bisschen zu süßlich für einen Reiseführer, oder?

Dem weißen Neger Wumbaba an lebensvoller Originalität ebenbürtig ist zweifellos der Erdbeerschorsch, dem in der Galerie der Phantasiepersonen ein Ehrenplatz gebührt. Er kommt in einem Nürnberger Witz vor, den Eckhard Henscheid in der von ihm mitherausgegebenen *Kulturgeschichte der Mißverständnisse* erzählt:
»Die Kleine kommt aus der Schule nach Hause: ›Mama, wir müssen uns morgen schön anziehn, weil der Erdbeerschorsch kommt, und der will uns alle filmen!‹ Die Mama ruft bei der Lehrerin an, was es damit auf sich habe. ›Ach‹, sagte die Lehrerin, ›das hat ihre Kleine falsch verstanden: Der Erzbischof kommt und tut alle firmen!‹«

Die von Henscheid sowie Brigitte Kronauer und Gerhard Hen-

schel herausgegebene *Kulturgeschichte* ist übrigens ein in jeder Hinsicht empfehlenswertes Buch – was aber unser Thema angeht, besonders wegen Henscheids Kapitel über Hör- und Lesefehler. Darin fehlt der Hinweis auf Johann Heinrich Voss den Älteren (der Homer so verfallen war, dass Lichtenberg über ihn schrieb, er sage immer »Agamemnon« statt »angenommen«) so wenig wie der auf jenen Nürnberger Bürger, der statt »Autobahnausfahrt Frauenaurach« immer »Autobahnausfahrt Frauenarsch« las.

Da sind wir nun schon sehr nah bei Freud, in dessen *Psychopathologie des Alltagslebens* zwar jede nur denkbare Fehlleistung vorkommt, vom Vergessen zum Verlieren über das Verlegen zum Verlesen und Verschreiben sowie Verdrucken. Aber das Verhören? Nichts gefunden.

Dabei kann doch auch der Verhörer so tief hinab ins Sexuelle reichen, dass es jedem Analytiker eine wahre Freude sein muss, nehmen wir nur die Zuschrift von Herrn Z. aus Oberasbach mit einer Erinnerung an Peter Alexander, der uns in den sechziger Jahren die deutsche Version von Tom Jones' *Delilah* nahe brachte, in der es eine Passage gab, die lautete:

»… für uns zwei, Delilah!«

Seine damals 14jährige Schwester, so Z., habe sich daraufhin über das Unmoralische dieses Textes entrüstet. Dass Alexander hier zu einem flotten Dreier auffordere! Sie hatte nämlich verstanden:

»… für uns zwei die Leila …«

Dazu gleich noch der Brief von Herrn M. aus Wachtberg-Ließem, der schrieb, er habe in Rudi Schurickes *Florentinischen Nächten*, wenn es hieß: »Ich sehe im Geiste die Schänke vor mir…« als Pubertierender immer gehört: »Ich sehe im Geiste die Schenkel vor mir…«

Was wäre das, wenn nicht ein Freudscher Verhörer – wenn bloß Freud das Thema mal erwähnt hätte?!

Noch eines zu diesem Thema: Herr S. hörte lange Zeit Peter Cornelius' Schlager *Segel im Wind* falsch. Im Original heißt es:

»Du host die Kraft ana Löwin
doch du treibst so wia a Segel im Wind.«

Herr S. (nachzulesen – jedenfalls war es in den vergangenen Jahren eine Weile dort zu finden – unter http://walruspage.progipark.com), Herr S. also hörte aber:

»Du host die Kraft ana Löwin,
doch du treibstas wia a Seekönigin.«

Für S. verband sich damit die Vorstellung von besonders sanftem Sex mit, nun ja, einer Seekönigin, was immer das genau sei – jedenfalls kein so übermächtiges, forderndes, Männer beängstigendes Frauenwesen wie die Löwin. Wie immer man das sehen mag: Die »Seekönigin« ist ungleich poetischer als das abgegriffene Bild von den »Segeln im Wind«. Und es bestärkt noch einmal meine These, dass die besseren Liedtexte in den Köpfen der Hörer entstehen und die Aufgabe des Texters darin besteht, die Phantasie des Publikums zu stimulieren.

Übrigens gibt es im Amerikanischen eine Art Fachbegriff für den Verhörer, und das Verdienst ihn erfunden zu haben, gebührt der Schriftstellerin Sylvia Wright. Der Begriff heißt *Mondegreen*.

Warum heißt er Mondegreen? Sylvia Wright verwendete das Wort 1954 in einem Artikel in der Zeitschrift *Harper's*. Sie hatte als Kind oft eine alte schottische Ballade gehört, in der die Zeile vorkam:

»They ha'e slain the Earl of Murray
And Lady Mondegreen.«

Sylvia Wright gefiel das in Kindertagen sehr:

»Sie haben den Earl of Murray erschlagen
Und Lady Mondegreen.«

Sie verband damit die Vorstellung von einem schottischen Grafen und seiner Geliebten, die erschlagen in einem nebligen Moor lagen, weil ihre Liebe aus irgendwelchen Gründen nicht sein durfte, weil die Verwandten etwas dagegen hatten oder der Mann von Lady Mondegreen. Später musste Sylvia Wright erfahren, dass die Zeilen in *The Bonny Earl of Murray* in Wahrheit lauteten:

»They ha'e slain the Earl of Murray
And laid him on the green.«

Und legten ihn ins Gras, nun ja. Oder auf das Grün, wie Golfer sagen würden. Entsetzlich langweilig. Kein Wunder, dass Sylvia Wright in *Harper's* die Ansicht vertrat, die missverstandenen Liedtexte seien in der Regel die besseren. Jeder, der sich gründlicher mit diesen Missverständnissen beschäftigt, muss ihr zustimmen.

Nebenbei und der Vollständigkeit halber: Leser W. machte auf ein Buch des verehrten Douglas Adams aufmerksam, *Der tiefere Sinn des Labenz* heißt es auf deutsch. Der Autor bringt darin Dinge auf den Begriff, für die es bisher keinen Begriff gab. Er schafft zum Beispiel das Verbum *aachen* für »seinen Namen ändern, um eher dranzukommen« oder das Substantiv *Alicante* für einen »Gastarbeiter, der in Lokalen singt«. In diesem Buch findet sich auch der Eintrag *Versettla, der* für jenen »Teil des Songtextes, bei dem einem plötzlich auffällt, daß man ihn seit Jahren falsch gehört oder mitgesungen hat«.

Mondegreen finde ich aber schöner.

Und wie entstehen Mondegreens? Dafür hat Karl Valentin den passenden Begriff gefunden: Es hat nämlich mit der *Illobraseko-*

lidation zu tun, dem Gleichlaut von Wörtern, auch als *Ichenbrate-kolidatiasimtioeijek* bekannt, jedenfalls bei Valentin. Der erörterte das Thema in einem 1940 mit Liesl Karlstadt unter dem Titel *Sprachforscher* geführten Dialog. Darin steht die deutsche Sprache am Ende als Urwald vor einem, der aus Sätzen besteht wie: »Das Vieh weidet auf einem Acker, folglich ist das ein Viehacker. Ein Fiaker ist aber auch ein Pferdefuhrwerk.« Oder: »Die Reichen reichen sich die Hände, die Armen reichen sich die Arme.« Oder: »Mancher Knabe ist früh reif, auf den Feldern liegt aber auch Frühreif.«

Frau S. aus München und Herrn Sch. aus Hofheim verdanke ich den Hinweis auf Gudrun Schurys famoses Buch *Goethe ABC*, in dem die Autorin unter dem Stichwort *Volksetümelogisch* zunächst einmal darauf hinweist, dass ein gut Teil der Wörter in unserer Sprache nicht existierte, hätten sich nicht Menschen immer wieder hartnäckig verhört oder sich bemüht, Unverständlichem einen Sinn zu geben. Warum heißt der Maulwurf Maulwurf? Nicht etwa, weil er mit dem Maul die Erde oder sonst etwas würfe (das tut er ja mit seinen Grabekrallen), sondern weil er im Althochdeutschen *muwerf* hieß, ein Haufen aufschichtendes Tier. Die Schury schreibt: »Der gesunde Volksverstand hat die Tendenz, fremdländische Ausdrücke, deren Bedeutung und Herkunft er sich nicht erklären kann, durch einheimische Wortbildungen zu ersetzen. So wurde aus der haitianischen ›hamaca‹, dem Schwebebett der Eingeborenen, durch weitere Umbildungen – über ›hangmak‹ bis ›hangmat‹ – schließlich, weil das bequeme Ding nun mal einen Namen brauchte und weil es nun mal eine durchhängende Matte war, die urdeutsche ›Hängematte‹.«

Aber das Buch heißt ja *Goethe ABC*, und deshalb darf der Hinweis nicht fehlen, dass natürlich, wie immer und bei fast allem, auch in diesem Fall »schon Goethe« sich mit der Sache befasste. In Schurys Buch steht, wie der Geheimrat darüber klagte, dass er »oft auch ungebildeten oder wenigstens zu einem gewissen Fache nicht gerade gebildeten Personen« Texte und Briefe »dictiren« müsse, woraus ihm »ein besonderes Übel zugewachsen« sei. Die Schreiber hätten zum Beispiel aus den mineralischen »Pyriten« ein »beritten« gemacht, aus der »Löwengrube« eine »Lehmgrube« und aus dem »Tugendfreund« ein »Kuchenfreund«, schließlich aus »sehr dumm« einen »Irrthum«.

Ach, wer ist also schuld an den Verhörern? Goethe sagt: »Niemand hört als was er weiß, niemand vernimmt als was er empfinden, imaginiren und denken kann.«

Also: Wir sind zu blöd, zu ungebildet, zu phantasiearm.

Goethe sagt aber auch: »An den Hörfehlern aber ist der Dictirende gar oft selbst schuld.«

Also: Die Sänger singen zu undeutlich. Sind auch schuld.

Alle sind schuld.

Im übrigen sind es ja nun nicht selten gerade die Hörfehler und das Nichtverstehen, die einem die Welt erklären oder einen doch über ihren Zustand hinwegtrösten! Das werden wir in diesem Buch noch öfter sehen, und wer nicht warten will, der kann es gleich lernen aus Johann Peter Hebels *Kannitverstan*-Anekdote, in der ein junger deutscher Handwerksgeselle nach Amsterdam kommt, wo er die Sprache nicht beherrscht und sich deshalb auf deutsch nach diesem und jenem erkundigt.

Bloß verstehen ihn dabei die Holländer nicht.

Vor einem schönen Haus erkundigt er sich nach dem Besitzer, bekommt aber nur zu Antwort: »Kannitverstan.« Angesichts eines herrlichen Schiffes fragt er nach dem Eigentümer, und man antwortet: »Kannitverstan.« Bei einem Beerdigungszug will er wissen, wie der Verstorbene hieß, und wieder sagt man ihm: »Kannitverstan.« Am Ende heißt es dann über den Handwerksburschen: »Endlich ging er leichten Herzens mit den andern wieder fort, verzehrte in einer Herberge, wo man Deutsch verstand, mit gutem Appetit ein Stück Limburger Käse, und wenn es ihm wieder einmal schwerfallen wollte, daß so viele Leute in der Welt so reich seien und er so arm, so dachte er nur an den Herrn Kannitverstan in Amsterdam, an sein großes Haus, an sein reiches Schiff und an sein enges Grab.«

Zum Schluss noch mal Karl Valentin mit seiner wunderbar absurden Variante des Themas, entnommen dem kurzen Hörspiel *Sonderbarer Appell,* in dem anhand eines Hörfehlers der ganze Schwachsinn militärischer Umgangsformen dargestellt wird. Da werden die Rekruten vom Feldwebel namentlich aufgerufen, und nirgendwo ist eine Illobrasekolidation hör- oder sichtbar – und trotzdem, aber bitte:

»Maier, Josef.«

»Hier!«

»Hier!«

»Wos? Sappramento! Schrei'n da zwoa ›Hier!‹ – da san wieder zwoa Maier, Josef, glaub i, dabei. Des is scho saudumm!«

»Hier!«

»Wos ›Hier‹? Wos schrei'n denn Sie ›Hier‹? Wie hoaß'n Sie?«

»Peter! Hindelang!«

»Ja, ja, wer hot denn jetzt von ei'm Peter Hindelang was g'redt?! Ich hab g'sagt, des is saudummm, dass zwei Maier Josef dabei san!«

»Und i hob verstanden, Sie ham g'sagt: Peter Hindelang.«

Kriech nicht da rein!:
Zum besseren Verständnis deutscher Schlager

Nach vielen Kolumnen und noch viel, viel mehr Leserzuschriften bin ich heute der Meinung: Im Grunde versteht kaum ein Mensch je einen Liedtext richtig, ja, Liedtexte sind überhaupt nur dazu da, falsch verstanden zu werden. Aufgabe eines Liedtexters ist es nicht, einen besonders schönen Liedtext zu schreiben. Nein, er muss dem Hörer möglichst viele geeignete Anknüpfungspunkte bieten, in seinen Ohren einen eigenen Liedtext entstehen zu lassen. Man muss als Schreiber den Menschen Material liefern, damit ihre Phantasie wirken kann. Muss sie in die Lage versetzen, ihre tiefinnersten Träume zu erleben und auf diesem Wege selbst zu Dichtern zu werden, Poesie zu schaffen.

So weiß ich den besonderen Wert der Einsendung von Herrn S. aus Halle zu schätzen, der als Kind in der DDR lebte, dies in den achtziger Jahren. Dort hörte man, wie das so üblich war, gern Westsender, welche zu jener Zeit nicht selten Udo Jürgens' Song *Griechischer Wein* ausstrahlten, in dem es heißt:

»Griechischer Wein –
das ist das Blut der Erde ...«

Herr S. aber verstand nicht »Griechischer Wein«, er hörte Mal um Mal:

»Kriech nicht da rein!
Das ist das Blut der Erde ...«

Man wird sich schwer tun, das Lied nun noch einmal richtig zu

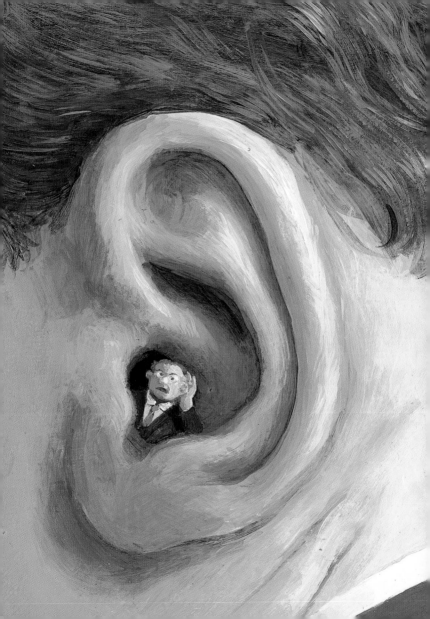

hören, so ist es viel schöner. Gilt das auch für die Zuschrift von Herrn S. aus München?

Er teilte mit, die Schwester eines Klassenkameraden habe es sich zu jenen Zeiten, in denen noch das Lied *Guantanamera* gesungen wurde, nicht ausreden lassen, es heiße nicht *Guantanamera*, sondern gut bayerisch »G'woant hamma mehra« (Geweint haben wir mehr).

Ja, das gilt auch hier.

Und weil wir gerade bei solchen Schmetterschlagern sind: Erst recht gilt es für die aberwitzig schöne Nachricht von Herrn Sch.-C., dessen Söhne zur Oktoberfestzeit das Wochenende bei den Großeltern verbrachten, in München, nehme ich an. »Als sie zurückkamen, sang der Kleinere von beiden aus voller Brust*: Ein Boot sinkt, ein Boot sinkt, in Gemütlichkeit.* Auf unsere Frage, wie er auf diesen Text käme, meinte er nur, er hätte dieses Lied wiederholt im Radio und im Fernsehen gehört, und es handle sich um ein Schiff, das langsam untergeht.«

Das ist sicher die schönste Version von *Ein Prosit, ein Prosit, der Gemütlichkeit*, von der ich je gehört habe, Unsinn – es ist die einzig schöne und überhaupt akzeptable Version. Und falls ich noch jemals in einem Wies'n-Zelt sitzen sollte, werde ich nur diesen Text singen.

Es ist aber unwahrscheinlich, dass es so weit kommt.

Übrigens gibt es Verhörer, die einem so in Fleisch und Blut übergehen können, dass aus ihnen tatsächlich Wörter entstehen, die man täglich selbst benutzt. Herr A. aus Hamburg berichtet zum Beispiel von jenem Henry-Valentino-Schlager, der beginnt mit der Zeile »Im Wagen vor mir fährt ein junges Mädchen« und in den Refrain mündet: »Rattan rattan radadadatan Rattan rattan

radadadatan.« Später kommt dann im Text – es handelt sich um ein Duett – das Mädchen selbst zu Wort, das sich Gedanken über den Mann macht, der hinter ihm fährt – und zwar so:
»…will der mich kontrollieren,
oder will er mich entführen?
Oder ist das in Zivil die Polizei?«
Und genau dieses »Zivil« kannte das Kind A. einfach nicht, er wusste nicht, was »Zivil« ist, bis er im Laufe seines Heranwachsens zu erkennen meinte, es handele sich hier um das Fremdwort »inzivil«, welches vermutlich »vielleicht« bedeute. Tatsächlich eignete sich A. dann dieses Wort für eine Weile an, bis jemand… Und so weiter.
Noch ein weiteres Beispiel aus der Welt des deutschen Schlagers, welcher ja auch die Band *Fehlfarben* angehört, in deren Stück *Ein Jahr (Es geht voran)* Frau S. aus Hamburg die Zeile hörte:
»Große Büffelherden regieren bald die Welt,
es geht voran!«
Nun schrieb sie mir, dass »wir erst beim Nachlesen auf dem Plattencover erfuhren, dass es ›Befehlhelden‹ waren«. An dieser Stelle war ich aber nun besonders stolz, Frau S. als Autor darauf hinweisen zu können, dass es auch »Befehlhelden« nicht waren, um die es sich hier handelte. Sondern »graue B-Film-Helden«. Ronald Reagan eben.
Aber wenn man wählen darf… Dass große Büffelherden bald die Welt regieren, ist doch eindeutig der schönste, weil rätselhafteste Text.
Wenn wir in dieser Richtung noch ein wenig weiter gehen wollen, nehmen wir uns die Mitteilung von Frau K. aus Leipzig vor, die mir schrieb, in der DDR habe es – gesungen von Ute Freudenberg – ein Stück namens *Jugendliebe* gegeben, das ging so:

»Jugendliebe bringt den Tag,
da man beginnt, alles um sich herum
ganz anders anzusehen.
Ha ha, Lachen trägt die Zeit,
die unvergessen bleibt.«
Frau K. hörte:
»Ha ha, Kakerlaken trägt die Zeit,
die unvergessen bleibt.«
Seltsam, die kakerlakentragende Zeit… Sie erinnert mich an Leserin S., die *Skandal im Sperrbezirk* von der *Spider Murphy Gang* immer so verstand:
»Und draußen vor der großen Stadt
steh'n Minuten sich die Füße platt.«
Herumstehende Minuten – das ist so viel reizvoller als die »Nutten« im Original, deren Erwähnung letztlich so platt ist wie ihre Füße.
Zum Thema »Der (Ver-)Hörer als Poet« nun die Zuschrift von Herrn H. aus Reinbek:
»Wie wohl jeder Musik liebende Mensch habe auch ich in meinem Leben einige Liedtexte falsch verstanden, will Ihnen hier aber nur ein Beispiel schildern, das meines Erachtens zu jenen seltenen Fällen gehört, bei denen die falschen Zeilen ein höheres Maß an Sinn und vielleicht auch Poesie beinhalten als die des Originals.«
Seltene Fälle?, Herr H., selten? Es ist doch die Regel!
H. schrieb weiter: »Im Lied *One night stand* des deutschen Singer-Duos *Joint Venture* heißt es an zentraler Stelle (ich zitiere aus dem Booklet):
›Wir haben eine geile nacht
mit nichts als reden zugebracht

die freiheit und der willen
ein kind der wind die grillen‹

Diese Aufzählung von nächtlichen Gesprächsthemen mag zwar äußerst realistisch sein, aber ich halte sie für recht uninspiriert. Dies mag der Grund sein, weshalb ich jahrelang zu verstehen glaubte:

›die freiheit und der willen
erkennt der wind die grillen?‹

Erst nach vielen Jahren konsultierte ich das Booklet meiner CD, und zwar, um Gewissheit über eine andere Zeile desselben Liedes zu erlangen. Ich war jedoch äußerst überrascht, dass die Entschlüsselung der oben geschilderten Zeile mir Probleme bereitet hatte. Zugleich aber war ich höchst erfreut, quasi selbst der Urheber dieser äußerst schönen Frage zu sein.« So weit Herr H.

Der Verhörer als Dichter – vielleicht zu diesem Thema noch der Brief von Frau M., die in Bergamo/Italien Deutsch unterrichtet und einen Fall schildert, in dem sie sich zwar verhört hatte, jedoch durch diesen Verhörer den eigentlichen Intentionen des Sängers auf die Spur gekommen zu sein glaubte, in diesem Fall denen Herbert Grönemeyers, der singt:

»Ich bin dein siebter Sinn
dein doppelter Boden
dein zweites Gesicht…«!

Frau M. schreibt: »Ich habe statt ›dein doppelter Boden‹ ›dein doppelter Po‹ verstanden, und ich bin immer noch überzeugt, dass der Grönemeyer eigentlich ›Po‹ meint, oder wenigstens ›Poden‹, was keine Bedeutung hat, aber hören Sie mal das Lied vorsichtig an: der erste Laut ist klar und deutlich ein P und nicht ein B!!«

Das Liebeslied ist natürlich eines der weitesten Felder, die sich dem Verhörpoeten bieten – und je größer die Anstrengungen des Originaldichters, desto umfangreicher auch die Möglichkeiten derer draußen an den Radios und CD-Spielern. Heinz-Rudolf Kunze dichtet einer untreuen Geliebten hinterher:

»Dein ist mein ganzes Herz
Du bist mein Reim auf Schmerz.«

Dazu schrieb mir Frau E. aus Hamburg, ihr Vater habe dies immer so gehört:

»Dein ist mein ganzes Herz,
Du bist mein Rheumaschmerz.«

Und sie fand: »Von allen erdenklichen Komplimenten ist dies wohl das uncharmanteste, das sich vorstellen lässt.«

Um es noch klarer zu sagen: Es ist natürlich überhaupt kein Kompliment. Es klingt wie der Hassgesang eines alten Herzkranken und Rheumapatienten auf seine Frau, an die er sein Leben verschwendet zu haben glaubt. Aber der Versuch, den ewigen Herz-Schmerz-Reimen einen neuen Aspekt abzugewinnen, ist es auch.

Marius Müller-Westernhagen besingt übrigens in einem Lied eine gewisse Rosi, die nicht ihn, sondern die er seinerseits immer wieder betrügt und nach der er sich doch mit den schönen Zeilen sehnt:

»Ganz egal, was ich esse,
Es schmeckt alles nach Dir.«

Dem folgen dann freilich die nicht ganz so eindrucksvollen Worte:

»Und die Maus letzte Nacht,
Die hat mich auch nicht kapiert.«

Nicht nur die, lieber Müller-Westernhagen, sondern auch Herr B.-D. aus Rheinberg, der nämlich hörte:

»Und die Maus wird zum Nachtdieb,
hab ich auch nicht kapiert.«
Wie denn auch? Aber dass das Nichtkapieren auch gleich noch im Liedtext vermerkt ist, das ist doch eine besonders schöne Pointe für unser Thema.

Zum Schluss des Kapitels noch drei Beispiele aus dem schon erwähnten Genre des Schmettersongs, für dessen Veränderung es ja noch ein anderes Motiv geben mag als die schiere Dichtlust des Verhörkünstlers. Nämlich kalte Rache an Nervtötern vom Typ Jürgen Drews, der uns Jahr um Jahr mit seinem *Bett im Kornfeld* so auf den Wecker geht, dass man gleichsam gezwungen ist, diesen Wahnsinn irgendwie umzuarbeiten und in finalen Nonsens zu überführen, wie die Mutter von Frau R. aus Gröbenzell, die statt »ein Bett im Kornfeld« nur »ein Päckchen Cornflakes« hörte. Oder wie Frau P. aus Aachen, die von einer Bekannten berichtet. Diese hörte das *Verdamp lang her* der kölschen Rockband *BAP* immer nur als »Verdammter Bär, verdammter, verdammter Bär...«

Und dann wäre da noch das Duo Klaus und Klaus mit *An der Nordseeküste*. Da heißt es:
»An der Nordseeküste,
am plattdeutschen Strand,
sind die Fische im Wasser und selten an Land.«
Herr K. verstand:
»... sind die Fische im Wasser und segeln an Land.«
Man kann sie verstehen, die Fische. Sie versuchen sicher, auf den Weg ins Landesinnere zu gelangen, irgendwohin, nur weg an einen Ort, an dem man Klaus und Klaus nicht hören kann.

Scuse me while I kiss this guy:
Das unerschöpfliche Verhörpotential der Fremdsprachen

Habe ich schon erzählt, dass Jimi Hendrix einen Verhörer in seine Bühnenshow eingearbeitet hat? In *Purple Haze* gibt es die Songzeile »'scuse me while I kiss the sky«, die oft verstanden wurde als »'scuse me while I kiss this guy«. Als Hendrix das mitbekommen hatte, ging er dazu über, nach diesen Worten auf der Bühne einen jungen Mann zu küssen.

Der Amerikaner Gavin Edwards hat nach diesem Verhörer seinerseits zunächst ein Buch, dann eine Internet-Seite benannt. Edwards ist der eifrigste Mondegreen-Sammler in den USA. Er widmete das Buch seinen Eltern, »die mich nie zum Arzt schickten, um einen Hörtest zu machen«. Hier die drei besten aus den Unmengen der von ihm gesammelten Verhörer.

She's got a ticket to ride in dem berühmten Beatles-Song wurde verstanden als: »She's got a chicken to ride.«

»Will you still need me, will you still feed me, when I'm sixty-four« heißt es eigentlich, auch bei den Beatles, aber es gibt Leute, die hörten »… when I'm six feet four«.

Von P.M. Dawn kann man hören: »I look at you with patient eyes.« Bei Chirurgen und OP-Schwestern beliebt ist aber die Variante: »I look at you and the patient dies.«

Eine Art deutscher Gavin Edwards war übrigens vor vielen Jahren Fred Rauch, Redakteur beim Bayerischen Rundfunk und selbst

Autor von Schlagertexten. Rauch veröffentlichte einige zu ihrer Zeit ziemlich populäre Bücher. *Beim nächsten Gongschlag ist es sechs Mark dreißig* hieß eines. Darin waren ganze Kapitel den Zuschriften gewidmet, mit denen sich Funk-Hörer an das *Wunschkonzert* des Bayerischen Rundfunks wandten und um so herrliche Dinge baten wie die »*Wohnzimmerarie der Lucia*« (gemeint: die *Wahnsinnsarie* aus Donizettis *Lucia di Lammermoor*) oder »eine Melodie mit dem Titel *Roman C von Zwenzi*«, wenn sie die *Romanze* von Swenson wünschten.

Aber das nur nebenbei.

Hier ein paar Exempel aus den Zuschriften an mich.

Bob Marley sang *I shot the Sheriff.* Herr D. aus Berlin aber gehört als Musiker einer Rock-Cover-Band an, deren Angehörige immer wieder diesen Song vortrugen, jedoch dabei »Eichhörnchen-Sheriff« sangen. »Außer uns und ein paar eingeweihten Freunden hat dies nie jemand gemerkt.«

Der Ehemann von Frau H. aus Berlin erfuhr erst nach vierzig Jahren, das berühmte Lied von *Procol Harum* heiße gar nicht »Knights in white Satin« (Ritter in weißem Satin), sondern *Nights in white Satin.*

Herr K. aus S. schrieb, er sei zu Zeiten ein Freund der Songs von Janis Joplin gewesen. Sie sang zum Beispiel von ihren Freunden, die alle »Poarschies« führen, während sie, Joplin, schöne Autos entbehre. Dann hörte K. den rätselhaften Vers »Oh Lord, give me a mercy dispense!« Was sollte das in diesem Zusammenhang bedeuten?, dachte K.: »Bat sie hier um gnädige Absolution für ihre unziemlichen Wünsche nach schnellen Autos? Ich gebe zu, dass *dispense* im Englischen diese Interpretation nur mühsam hergibt – aber wer weiß schon, welchen Slang sie da spricht?« Erst dieser

Tage wurde K. von seiner Frau dahingehend aufgeklärt, dass Joplin nicht etwa um »mercy dispense« bat, sondern um einen »Mörcidis Benz«.

Sehr schön auch diese Mitteilung von Leser F. aus Mainz: Er habe vor vier Jahren einen Besucher aus England gehabt, der gut Deutsch sprach. Sie fuhren zusammen Auto, als aus dem Radio plötzlich ein Lied ertönte, über das sich der Gast sehr empörte. Wie es möglich sei, dass in einem Land mit dieser Vergangenheit Schlager gespielt würden, bei denen immer wieder »Ru-Dolf-Hess!« skandiert werde. Feierte man denn hier nun schon wieder alte Nazis? Rudolf Hess, des Führers Stellvertreter? Es gelang, die Sache aufzuklären: Es handelte sich um die Zeile *Un, dos, tres*, den gestampften Refrain aus dem Sommerhit *Un, dos tres, Maria* von Ricky Martin.

Zum Schluss eine Geschichte, die Leser R. aus der Zeitschrift *Oldtimer Markt* kopierte und mir schickte. Darin berichtet Herr M. aus Gernsbach, wie seine Eltern 1961 mit ihm im VW-Käfer nach Italien fuhren. Die Eltern seien biedere, bodenständige Menschen gewesen, zum ersten Mal seien sie italienwärts gereist. An der Grenze habe der Vater ordnungsgemäß die Papiere vorgezeigt, der Carabiniere habe freundlich »Avanti« gesagt und gewinkt. Die Eltern aber seien von einer Sekunde auf die andere in Panik verfallen, aus dem Auto gestürzt und hätten sich mit den Händen nach oben an eine Wand gestellt. Sie hatten nämlich, des Italienischen nicht mächtig, das »Avanti« verstanden als »An d' Wand hi!«

Sagte ich »Schluss«? Ach, nö.

Aus Friedberg schrieb Frau B., sie habe mit ihrer Familie vor Jahren ein Lokal am Gardasee aufgesucht, das ihnen wegen seiner großen und ausgefallenen Vorspeisenauswahl empfohlen worden war. Ihr Mann und sie selbst bestellten also die Vorspeisen, für die Kinder aber doch lieber Nudelgerichte. Dann erschien die Kellnerin mit zwei Tellern am Tisch und meldete auf italienisch: »Antipasti«. Und noch ehe die Eltern reagieren konnten, reckten die Kinder die Arme und griffen zu, hoch erfreut, in einem fremdem Lokal sogar mit Namen angesprochen zu werden. Sie hießen nämlich Andi und Basti.

So ist das nun mal, Kinder beziehen das Unerklärliche, wenn es irgend geht, immer zuerst auf sich. Dafür gibt es ein anderes schönes Beispiel, das ich Frau Sch. aus Korschenbroich verdanke, deren Tochter einen Südafrikaner mit Familiennamen »Scott« heiratete. Dieser Ehe entsprang ein Sohn, eben der Enkel von Frau Sch., Zane heißt er und war sieben, als diese Geschichte spielte: Zane machte nämlich mit den Großeltern eine Bergtour in Oberbayern. Dort rief dieser und jener Wanderer ihnen jedes Mal ein freundliches »Grüß Gott« zu, das sich, wie man weiß, wenn man in Oberbayern wohnt, schon mal auf ein knappes »'ß Gott« verkürzt. Zane veranlasste es schließlich zu der erstaunten Frage, woher all diese Fremden wüssten, dass er Scott heiße.

Schwyzerdütsch ist ja keine Fremdsprache… Oder, nein: Es ist doch eine. Vor Jahren sprach mich nach einer Lesung mal jemand an, der sagte, seine Kinder hätten das »Grüezi mitenand« in der Schweiz immer als »Grüß Sie mit der Hand« verstanden.

Gott, der Herr, hat sieben Zähne:
Die Kirche als Ort großer Missverständnisse

Herr U. aus Altötting schrieb mir, er habe als Kind immer ein altes, mittlerweile verschwundenes katholisches Kirchenlied gesungen, das *Herz Jesu, Gottes Opferbrand* hieß und unter anderem folgende Zeilen hatte:
»Wir stachen Dich mit Spott und Wut,
Du tauftest uns mit Deinem Blut,
Nun müssen wir Dich lieben.«
U. aber sang, bis er lesen lernte, immer so:
»Wir stachen Dich mit Stock und Hut.«
Und der ersichtliche Unsinn habe ihn, so U., »angesichts des allgemein verwirrenden Charakters unserer Liturgie«, nicht einen Augenblick irritiert.
Nein, im Gegenteil, auch die Liturgie birgt die allerwunderbarsten Beispiele für den Verhörer als poetische Realitäts-Interpretation. Besonders das Kirchenlatein der Katholiken stellt zumal Kinder vor nahezu unlösbare Aufgaben, nehmen wir nur das *speravimus in te* (»Wir haben auf dich gehofft«), welches Leser Z. zum Anlass nahm, mich auf ein entlegenes Werk von Arthur Maximilian Miller namens *Honorat Würstle – Mei' Pilgerfahrt durchs Schwabenländle* aufmerksam zu machen. Darin erinnert sich ein Kaplan, das immer als »Sperr ab, i muss in d' Höh!« verstanden zu haben. Noch schöner ist aber die Geschichte von Frau K. aus München, die in einer Familie aufwuchs, in der man oft und ausgiebig Tee

54

trank. »Zur Sonntagsmesse nahm mich mein Papa auf die Orgelempore mit, knöpfte, wenn ich in der ungeheizten Kirche fror, sein Jackett auf und hüllte mich ein. Vorne am Altar war viel Gold und Weihrauch und der Pfarrer sang: ›Speravimus in Tee!‹ Welche Teezutat mochte das wohl sein? Das Speravimus blieb ein schönes Geheimnis!«

Bei der Gelegenheit: Das Lateinische ist ja nicht nur Kindern oft ein Rätsel. Herr J. schrieb mir, er sei in den siebziger Jahren Redakteur beim *Deutschen Depeschen Dienst* gewesen. »Sonntags erhielten wir regelmäßig am späten Nachmittag die ausgeschriebenen Fassungen der Interviews, die abends um 19.10 Uhr im ZDF ausgestrahlt wurden, damals noch mit Durchschlägen auf der Schreibmaschine geschrieben. Es muss kurz vor den Bundestagswahlen 1976 gewesen sein, als der damalige CSU-Vorsitzende Franz-Josef Strauß interviewt worden war, und ihm wurde die Frage gestellt, ob eine von der Union geführte Bundesregierung sich an die von der sozialliberalen Regierung geschlossenen Verträge halten würde. Seine zunächst niedergeschriebene Antwort lautete: ›Ich habe immer gesagt: *Packt das auseinander.*‹« Später sei, so J., die Passage dann durchgestrichen und durch die richtigen Worte ersetzt worden: *Pacta sunt servanda*, Verträge sind einzuhalten, also eigentlich das Gegenteil vom Auseinanderpacken, aber eben auf Latein.

Das nur nebenbei, es hat mit der Kirche ja nichts zu tun.

Aber es ist nicht bloß das Lateinische, es sind auch die bildhaften Geschichten der Bibel, die in Kinderohren oft anders ankommen, weil sie in einer Sprache geschrieben sind, die keiner so mehr spricht.

Also, wenn man den Begriff »ein Wunder wirken« nicht kennt,

geht es einem wie der kleinen Schwester von Frau M. aus Berlin, die gerade sechs Jahre alt war, als die Ältere ihr Bibelgeschichten aus dem eigenen Religionsunterricht vorlas. Bei der Überschrift »Jesus wirkte das Brotwunder« protestierte die Kleine: Es müsse heißen »Jesus würgte das Brot runter«.

Oder das Wort »Odem«. Dazu fällt mir die Zuschrift eines Lesers ein, der bei dem Gesang *Alles was Odem hat, lobe den Herrn!* immer verstand: »Alles was Ohren hat, lobe den Herrn!«

Da passt die Kinderzeichnung einer Freundin von Frau K. aus Breisach, welche vor vielen Jahren in der Schule die Bibelgeschichte von der wunderbaren Heilung durch Jesus hörte: »... und die Lahmen konnten wieder gehen, die Blinden wieder sehen und die Tauben wieder hören.« Die Freundin von Leserin K. malte dazu ein Bild, auf dem viele Tauben flogen – und alle hatten Ohren.

Seltsame Wesen bevölkern die Welt junger Kirchgänger, die Himmelsau zum Beispiel. Herr M. aus Leipzig schreibt, sein Vater habe ihm zum Einschlafen oft das Lied 507 aus dem evangelischen Gesangbuch vorgesungen:

»Himmelsau, licht und blau
wieviel zählst du Sternlein ...«

In Wahrheit heißt es »Himmels Au«. Aber das erfuhr M. erst später.

Oder die Kühe, von denen Herr S. aus München schreibt, dessen fünfjährige Tochter bei einer Trauung nicht *Kyrie eleison* hörte, sondern etwas anderes. Jedenfalls sang sie beim Hinaustreten aus der Kirche ein entzückendes »Kühe reden leise« vor sich hin.

S. berichtet auch von einem Theologen, den in einer Mai-Andacht tiefe Heiterkeit erfasste, als er ein Kind singen hörte:

»Meerschwein, ich Dich grüße, o Maria hilf!«
Richtig heißt es: »Meerstern, ich Dich grüße …«
Aber welches Kind, fern der Meere lebend, kann sich unter einem
Meerstern etwas vorstellen?
Und der liebe Gott? Dr. L. aus Gundelfingen gewann als Bub eine
Vorstellung von dessen Äußerem, als er das Schlaflied hörte, nicht
nur zu Weihnachten natürlich:
»Weißt du, wieviel Sternlein stehen,
an dem blauen Himmelszelt?
Weißt Du, wieviel Wolken gehen,
weithin über alle Welt?
Gott, der Herr, hat sie gezählet …«
Der kleine L. aber hörte:
»Gott, der Herr, hat sieben Zähne …«
Allein Gott in der Höh' heißt ein anderes berühmtes Kirchenlied,
darin heißt es:
»All Fehd' hat nun ein Ende.«
Aber Frau A. aus Miesbach sang immer:
»Alfred hat nun ein Ende.«
Klingt gruselig, Alfreds Ende so zu besingen. Aber noch gruseliger
wird es in der Nachricht von Leser B., dessen Frau in ihrer Kind-
heit ein evangelisches Lied hörte:
»Leben im Schatten, Sterben auf Raten –
haben wir was davon?
Hass und Empörung, Leid und Entbehrung –
ist das die Endstation?«
Das ist düster genug. B.'s Ehefrau aber hörte (was der Reim auch
nahe legt):
»Leben im Schatten, Sterben auf Ratten …«

58

Huuuuh! »Klingt fast nach Borchert«, findet B.

Bevor ich zum Kapitelschluss komme, noch zwei weitere sehr schöne Falschhörer aus dem evangelischen Liedgut. Da wäre erstens das *Abendlied* aus dem 17. Jahrhundert, in dem es am Schluss heißt:

»Will Satan mich verschlingen,
So lass die Englein singen:
Dies Kind soll unverletzet sein.«

Sowohl die Kusine von Frau M. aus Wolfratshausen als auch Herr J. aus Saarbrücken verstanden:

»Dies Kind soll unser letztes sein.«

»Recht so«, fügt Herr J. in seinem Brief hinzu, »ich war der Jüngste und wollte es bleiben.«

Ein wahres Juwel finde ich in den Einsendungen von Frau S. und Herrn E., beide aus München. In ihren Elternhäusern wurde gern gesungen:

»O, bleib mit deinen Worten
bei uns, o Herrscher wert,
dass uns beid' hier und dorten
sei Glück und Heil beschert.«

Beide verstanden:

»… dass uns bei Bier und Torten
sei Glück und Heil beschert.«

Und dann wäre da Kurt L. aus Bielefeld, der berichtet, in einer befreundeten Familie hätten die Eltern oft »Gott sei Dank!« gerufen, die Kinder aber »Kurt sei Dank!« verstanden und schließlich gefragt: »Warum sollen wir Onkel Kurt immer danken?«

Holger, Knabe im lockigen Haar:
Was man Weihnachten alles zu hören bekommt

Weihnachten wird viel gesungen in Familien überall auf der Welt. Vielleicht beginnen wir mit einem der berühmtesten Verhör-Fälle, nämlich *Rudolph, the red-nosed reindeer*, hierzulande bekannt als Rudolf Rotnase, das Rentier. Da heißt es im Text des Liedes, Rudolf habe eine leuchtende, geradezu glühend-rote Nase gehabt – und weiter:

»All of the other reindeer
used to laugh and call him names …«

Also: Alle Rentiere lachten und spotteten über ihn. Viele amerikanische Kinder aber hören Jahr für Jahr:

»Olive the other reindeer
used to laugh and call him names …«

Also gibt es da nur *ein* anderes Rentier namens Olive, das den Rudolf hänselt. Der Fall ist so berühmt, dass Vivian Walsh und J. Otto Seibold ein schönes Kinderbuch verfasst haben, in dem ein kleiner Hund namens Olive die Hauptrolle spielt. Olive hört das Lied und kommt in eine Identitätskrise, fühlt sich als Rentier angesprochen und bricht zum Nordpol auf, um sich für die Rentierherde des Weihnachtsmannes zu bewerben …

So gehört Olive in eine Reihe mit den vielen anderen Wesen, die aus Verhörern entstanden sind, »Gladly, the cross-eyed bear« zum Beispiel, Gladly, der schielende Bär, der seine Phantasie-Existenz dem Kirchenlied *Gladly, the cross I'd bear* verdankt. Und »Round

John Virgin«, dem dicken John Virgin, der dem englischen Text von *Stille Nacht* entstammt, in dem es heißt:

»Silent Night, holy night
all is calm, all is bright
round yon virgin mother and child ...«

(»Stille Nacht! heilige Nacht!
Alles schläft, einsam wacht
Nur das traute heilige Paar ...«)

Im deutschen Text des Liedes fühlte sich einst Holger, der kleine Bruder von Herrn D. aus Mainz, sogar persönlich besungen. Er hörte Jahr für Jahr:

»Holger, Knabe im lockigen Haar
Schlafe in himmlischer Ruh'!«

Das Holde ist als Wort dem Kind nun einmal ebenso fremd wie die Gnade, weshalb sowohl Herr K. aus München als auch Herr P. aus Trier berichten, in ihren Familien sei die Zeile von der »Gnaden bringenden Weihnachtszeit« oft als »Knaben bringende Weihnachtszeit« aufgefasst worden, was nicht ganz ohne Logik ist, bedenkt man noch die Post von Frau K., die von einer Freundin ihrer Mutter schrieb, die plötzlich abends ihren fünfjährigen Sohn beten hörte:

»Maria, du bist voller Knaben.«

Wie es im Himmel zugehen mag, davon machen sich viele Kinder gerade zu Weihnachten ein eigenes Bild. Zahlreiche Leser schrieben, sie hätten bei *Ihr Kinderlein kommet* statt »Hoch droben schwebt jubelnd der Engelein Chor« gehört:

»Hoch droben schwebt Josef den Engeln was vor.«

Wohingegen im Hause der Familie F. in Stadthagen jedenfalls das Christuskind nicht schwebte, sondern ... Die Eheleute F. berichteten in einem gemeinsam unterzeichneten Schreiben, ihr vierjähriger Enkel Carlo habe das *Alle Jahre wieder* so vorgetragen:

»Alle Jahre wieder
kommt das Christuskind
auf die Erde nieder,
wo wir Menschen sind.
Kehrt mit seinem Segen
ein in jedes Haus,
geht auf allen Vieren
mit uns ein und aus.«

»Wie alle frommen Seelen wissen, muss es heißen: ›Geht auf allen Wegen…‹«, schrieben Herr und Frau F.

Aber das muss man uns ja nicht erzählen.

Dr. P. aus Greifenberg schrieb: »Unser Sohn Martin, Heiligabend 1962, knapp drei Jahre, fragte, als wir nach der ersten Strophe von *Ihr Kinderlein kommet* Atem schöpfen wollten: ›Wieso eigentlich in Beethovens Stall?‹«

Welch' seltsame Personen an welch' seltsamen Orten da den Kindern zu Weihnachten gegenüber treten – und wie sie aussehen! Da ist der Herr Rodes, der in Wahrheit Herodes heißt – Frau H. aus Bischofsgrün berichtete von ihm.

Da ist die Julia, die in Kirchen so oft mit herzlich lautem »Hallo Julia!« gegrüßt wird, jedenfalls verstand die Enkelin von Frau M. aus München das »Hallelujah!« so.

Und da ist der bekannte Gottessohn Owi aus der *Stillen Nacht*: »Stille Nacht, heilige Nacht / Gottes Sohn, Owi lacht / Lieb aus deinem göttlichen Mund…« Von dem erzählten viele.

Ja, und da wäre noch Herr K. aus München, dessen Vater in *Am Weihnachtsbaume, die Lichter brennen* die Zeile »… kein Auge hat sie kommen seh'n« Jahr für Jahr sang als: »…kein Auge hat sie und konnte seh'n.«

Herrn W. aus München wollen wir nicht vergessen, dessen kleiner Bruder im Alter von fünf Jahren zwei Zeilen in *Leise rieselt der Schnee* immer missverstand. Im Original heißen sie:

»In den Herzen ist's warm
Still schweigt Kummer und Harm.«

Der Bruder hörte:

»In den Herzen ist's warm
Still schweigt Kummer und Darm.«

In die Reihe von Olive bis Holger gehört auch noch der Schuldi, den Frau H. aus Bonn, Herr E. aus dem Münsterland und Herr W. aus Bergisch Gladbach unabhängig voneinander am Ende des Vaterunsers entdeckten:

»Und vergib uns unsere Schuld
Wie auch wir vergeben unserem Schuldi gern.«

Auf englisch heißt das:

»Forgive us our trespasses…«

Aber es gibt im Angloamerikanischen viele Menschen, die immer verstehen:

»Forgive us our Christmases…«

Nun stimmen wir ein in den Gesang der kleinen Annalena aus München, deren Großmutter, Frau S. aus München, berichtete, sie habe vor Jahren am Heiligen Abend so laut und schön gesungen:

»Oh Tannenbaum, oh Tannenbaum,
wie grinsen deine Blätter.
Du grinst nicht nur zur Sommerzeit,
nein, auch im Winter, wenn es schneit.«

Die Autoren:

Axel Hacke wurde 1956 in Braunschweig geboren und lebt heute als Schriftsteller und Journalist in München. Seine journalistische Arbeit wurde mit vielen Preisen ausgezeichnet: Joseph-Roth-Preis (1987), Egon-Erwin-Kisch-Preis (1987 und 1990) und Theodor-Wolff-Preis (1990). Seine Bücher wurden in zahlreiche Sprachen übersetzt.

Michael Sowa lebt seit seiner Geburt im Jahre 1945 in Berlin. Nach Abschluss eines Kunstpädagogikstudiums 1975 freier Maler und Zeichner. 1995 wurde er mit dem Olaf-Gulbransson-Preis ausgezeichnet.

© Verlag Antje Kunstmann GmbH, München 2004
Lithografie: Reproline Genceller, München
Satz: Schuster & Junge, München
Druck: L.E.G.O., Vicenza
ISBN 3-88897-367-8